Holger Haag und Manfred Rohrbeck

Naturwissen kompakt

Huhn

COPPENRATH

Hallo, Tierfreundin!
Hallo, Tierfreund!

Pick, pick, pick – die Eierschale bekommt einen Riss und ein winziges gelbes Küken schlüpft aus dem Ei. Scharrend sucht ein Huhn am Boden nach Würmern und Insekten und der Hahn gibt ein heiseres „Kikeriki" von sich. Bestimmt hast du schon häufiger Hühner beobachtet. Aber weißt du auch, warum Hühner so gern im Staub baden?
Dein kleines Buch beantwortet dir all diese Fragen. So wirst du ganz schnell zu einem echten Hühner-Experten!

Viel Spaß
beim Entdecken & Beobachten!

Inhalt

Wie sieht ein Huhn aus?

Hühner sind Vögel. Sie haben zwei Flügel und werden von Federn warm gehalten. Ein Haushuhn erkennst du leicht an dem nackten roten Kamm und dem Kehllappen. Die Füße sind meist unbefiedert, haben dafür aber Schuppen wie eine Eidechse. Von den vier Zehen zeigen drei nach vorne und eine

nach hinten. Den Hahn, also das männliche Huhn, erkennst du an seinen langen, gebogenen Schwanzfedern und seinen lauten Kikeriki-Rufen. Das weibliche Huhn wird Henne genannt, die Jungtiere heißen Küken.

Welche Arten gehören zur Familie des Huhns?

Die Hühner gehören in die große Familie der Fasanenartigen. Die meisten fliegen nur, wenn es sein muss. Auf unseren Wiesen und Feldern leben Rebhühner und Wachteln. In den Bergen findest du den Auerhahn, das Birkhuhn oder Alpenschneehuhn. Besonders prächtig sind die verschiedenen Arten von Fasanen mit ihrem bunt schillernden Gefieder. Auch der Pfau gehört zu dieser Familie. Viel gezüchtet wird das Truthuhn, auch Pute genannt. Es stammt aus Nordamerika. Unser Haushuhn stammt vom Bankivahuhn aus Südostasien ab.

Bankivahuhn

Alpenschneehuhn

Auerhahn

Fasan

1

Die Federn des Huhns

Federn schützen die Hühner vor Wasser und Kälte, geben ihnen die Färbung und ermöglichen ihnen das Fliegen. Die äußeren Federn sind die Konturfedern, mit festem Federkiel und Federfahnen. Die Federfahne ist noch weiter unterteilt: Vom Federast gehen die Hakenstrahlen nach oben ab und die Bogenstrahlen nach unten. Sie sind durch kleine Häkchen miteinander verbunden. So bekommt die Feder ihre feste Struktur.

Unter den Konturfedern liegen die Daunenfedern. Sie haben nur einen kurzen Kiel und lange, weiche Federäste, ohne Häkchen. Die Daunen halten sehr gut warm. Deshalb werden unsere Bettdecken, Schlafsäcke oder Jacken gerne mit Daunen gefüllt.

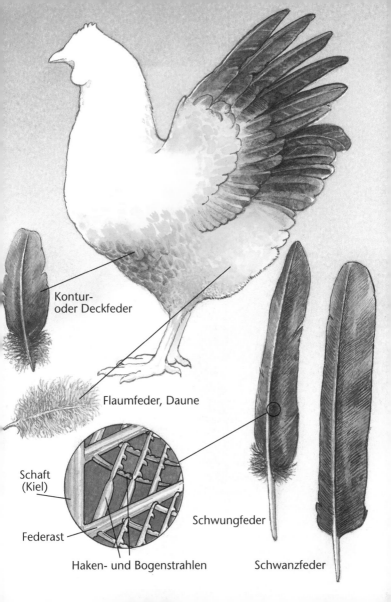

Kontur- oder Deckfeder

Flaumfeder, Daune

Schaft (Kiel)

Federast

Haken- und Bogenstrahlen

Schwungfeder

Schwanzfeder

Die Sinnesorgane des Huhns

Hühner nehmen ihre Umgebung vor allem mit den Augen wahr. Da die Augen seitlich am Kopf sitzen, können sie nicht räumlich sehen. Deshalb wenden sie ihren Kopf immer hin und her, damit sie das Samenkorn beim Aufpicken auch treffen. Obwohl die Ohren der Hühner unter den Federn versteckt sind, hören sie damit fast so gut wie ein Hund. Wie gut Hühner riechen, ist noch nicht bekannt. Hühner haben übrigens eine Art inneren Kompass, mit dem sie sich sehr gut orientieren können.

Das Sichtfeld
des Huhns

■ = Toter Winkel
(Hier sieht das
Huhn nichts.)
▨ = Sehen mit
einem Auge

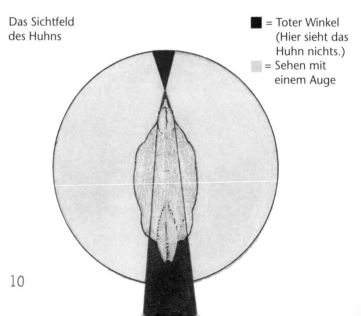

Wie werden Hühner gehalten?

Viele Hühner leben in großen Ställen in der soge-
nannten Bodenhaltung. Hier gibt es verschiedene
Bereiche, zum Eierlegen, zum Fressen und Trinken,
um im Boden zu scharren, und auch Sitzstangen
zum Schlafen.

Eine weitere Haltungsform ist die Freilandhaltung. Dort können die Tiere den Stall verlassen, draußen herumlaufen und ihre natürlichen Verhaltensweisen ausüben.

Was frisst ein Huhn?

Hühner fressen Gras, Klee, Brennnesseln, Körner,
Würmer, Insekten und auch ein paar Schnecken.
Dabei scharren sie gerne mit den Krallen über den
Boden, um nach der Nahrung zu suchen. In den
großen Ställen bekommen sie energiereiches Getrei-
defutter, damit sie viele Eier legen können oder
möglichst schnell wachsen. Zuerst landet die Nahrung im Kropf vom Huhn, wo sie ein wenig aufge-
weicht wird, bevor sie in den Magen gelangt. Der
Magen ist ein sogenannter Muskelmagen. Er ist sehr
hart und zerquetscht und zerkleinert die Nahrung.
Dabei helfen auch kleine Steinchen, die die Hühner
fressen. Sie ersetzen sozusagen die Zähne.

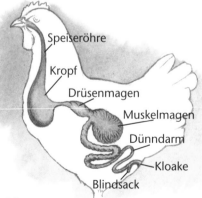

Speiseröhre
Kropf
Drüsenmagen
Muskelmagen
Dünndarm
Kloake
Blindsack

15

Warum baden Hühner im Staub?

Auf Bauernhöfen, wo nur ein paar Hühner für den Eigenbedarf gehalten werden, kannst du manchmal beobachten, wie sich die Vögel genüsslich im Staub hin und her werfen und ihre Federn damit bedecken. Dieses Sandbad gehört zur Gefiederpflege. Denn so versuchen sie, das Ungeziefer loszuwerden, das zwischen ihren Federn sitzt. So werden Federlinge, Flöhe

Die Vogelmilbe
ernährt sich vom
Blut der Hühner.

und Milben mit dem Sand abgestreift. Außerdem
entfernen die Hühner damit auch das überschüssige Fett aus den Federn. Weil das sehr wichtig für
die Hühner ist, sollten sie auch in großen Ställen
einen Platz zum Sandbaden haben.

Vom Ei zum Küken

Innerhalb eines Tages entwickelt sich im Huhn ein Ei mit Eigelb, Eiweiß und Schale. Im Eigelb wächst dann das Küken. Schon nach drei Tagen schlägt ein kleines Herz. Das Eiweiß ist vor allem ein Schutz und ein Wasservorrat. Es besteht fast völlig aus Wasser. Etwa drei Wochen braucht die Henne, um ihre Eier auszubrüten. Einen Tag vor dem Schlüpfen nimmt das Küken mit leisem Piepen Kontakt zu seiner Mutter auf. Dann versucht es, mit dem Eizahn, einem kleinen Horn auf dem Schnabel, ein Loch in die Eischale zu bohren und sie aufzubrechen. Der Eizahn fällt später ab. Als Nestflüchter folgt das Küken schon nach kurzer Zeit seiner Mutter.

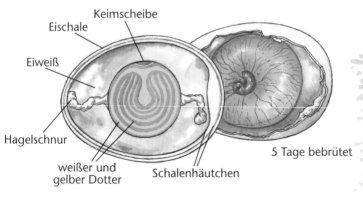

Keimscheibe

Eischale

Eiweiß

Hagelschnur

weißer und
gelber Dotter

Schalenhäutchen

5 Tage bebrütet

15 Tage bebrütet

Das Huhn und der Mensch

Gelbsperber

Westfälischer
Totleger

Seit etwa 10.000 Jahren werden Hühner als Haustiere
gehalten. Nach Europa sind sie vor ungefähr 2.000 –
3.000 Jahren gekommen. Und erst die Römer haben
sie in ganz Europa verbreitet. Sie fingen auch an,
Hühner zu züchten. Ein wildes Bankivahuhn legt im
Jahr etwa 30 – 40 Eier. Einige Zuchtrassen legen heute
bis zu 300 Eier im Jahr. Auch das Hühnerfleisch ist

Sundheimer

Aseel

Federfüßiges
Zwerghuhn

sehr begehrt. Dafür werden die Hühner mit Futter
gemästet. So erreichen sie schon nach etwa fünf
Wochen ihr Schlachtgewicht. Es werden auch die
Federn genutzt, um damit Decken und Kissen zu
füllen. Heutzutage versuchen Forscher, Öl oder
Kunststoffe aus Federn zu gewinnen.

Was wird aus Eiern gemacht?

Aus Eiern lassen sich viele leckere Dinge zubereiten. Schon als Spiegelei, Rührei oder hart gekochtes Sonntagsei schmecken sie sehr gut. Besonders beim Backen werden viele Eier gebraucht. Sie dienen als Bindemittel und machen den Teig schön locker. Aus dem Eiweiß kannst du mit dem Mixer festen Eischnee schlagen. Zusammen mit Zucker werden daraus Makronen oder Baiser. Auch um Nachspeisen schön locker zu machen, wird Eischnee untergehoben. Hast du gewusst, dass das Eiweiß von einem Ei für zwei Schokoküsse reicht? Aus dem Eigelb wird zusammen mit Öl Mayonnaise hergestellt.

23

Wo leben Hühner?

Hühner sind typische Laufvögel und halten sich vor allem auf dem Boden auf. Das Fliegen haben sie zwar nicht verlernt, aber weite Strecken können sie nicht mehr zurücklegen. Meist flattern sie bei Gefahr nur noch auf den nächsten Baum oder zum Schlafen auf die Sitzstange. Hühnervögel gibt es auf der ganzen Welt. Sie leben vom eisigen Norden bis in die heißen Tropen, von den Hochgebirgen bis in die Täler, von dichten Wäldern und Gebüschen bis in die Steppen und Wüsten.